¿Quién toca la puerta?

Estoy escuchando todo
lo que se dice
a mis espaldas.

¿Alguien me llama?

Demasiado viento,
vuelvo a casa.

Sin ganas de caricias.

Para Mikou.
B. G.

Texto e ilustraciones de Bruno Gibert
Título original: *45 Vérites sur les chats*
© 2017, Albin Michel Jeunesse
Publicado con acuerdo de Isabelle Torrubia Agencia Literaria

© de esta edición: Lata de Sal, 2018

www.latadesal.com
info@latadesal.com

© de la tradución: Laurence Saleix-Cortes
© del diseño de la colección y de la maquetación: Aresográfico

Impreso en Egedsa
ISBN: 978-84-946650-9-7
Depósito legal: M-15017-2018
Impreso en España

Y Logan y Chasis también odian los zoológicos. ¡Lógico!

* El autor ha pedido prestado « Le chat sans pudeur »
(traducido «El gato sin pudor»),
del gran artista francés Albert Dubout,
para rendirle homenaje en estas páginas.

45

verdades
sobre
los gatos

Bruno Gibert

S
xz
G

Traducido por Laurence Saleix-Cortes

LATA de SAL
Gatos

Todos los gatos leen con su trasero.

Algunos gatos son solo triángulos.

Otros, solo círculos.

Los gatos odian los zoológicos. ¡Lógico!

A veces, hay que buscar al gato por todas partes.
(¿Está por aquí?)

Los gatos amplían la familia.

Todos los gatos sueñan con
hacerse amigos de una vaca.

Se asoman por la ventana tanto para mirar
como para dejarse ver.

A diferencia de los humanos, ignoran la televisión.

A diferencia de los humanos, desprecian los espejos.

Todo encaja. Los gatos sí disfrutan de las mudanzas.

Y de las tardes de pícnic.

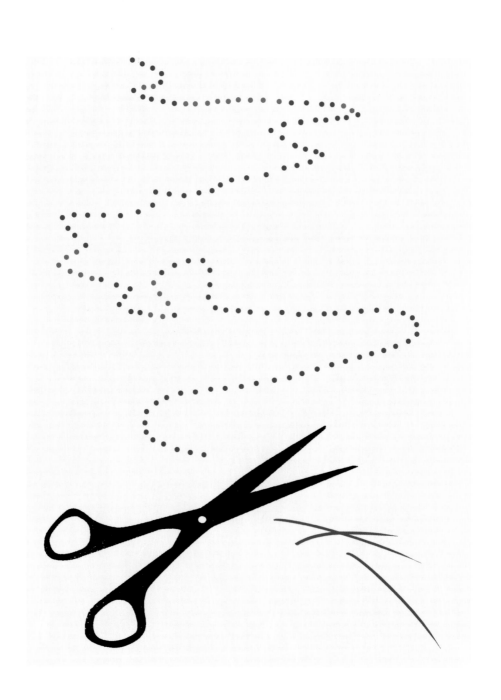

Se dice que sin sus bigotes,
un gato nunca caminaría recto.

Un gato al que se le corten los bigotes
será rencoroso para siempre.

Una casa es más bonita con un gato.

¿No te parece?

Si a los gatos les gusta tanto subirse a los tejados
es para acercarse más a los pájaros.

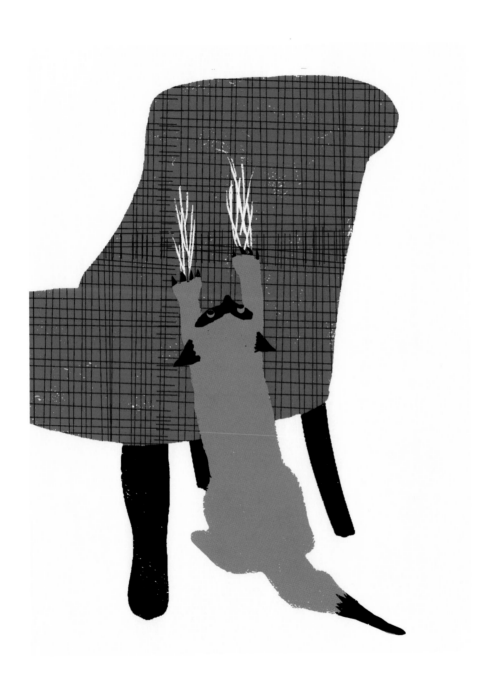

Los gatos aprecian y valoran la tapicería.

c at

h

El gato francés que se zampe una *h*
se transforma en inglés.

En Francia, esto que ves aquí es un /gató/.

Los gatos ven de noche...

como a pleno día.

Algunos gatos dan suerte.

Otros, también.

Un gato está siempre desnudo.

Podríamos decir incluso que los gatos
no tienen ningún pudor*.

Si pudieran permitírselo, ¿crees que los gatos
se comprarían lo más elegante y lujoso?

No. A los gatos les da igual la elegancia y el lujo.
Prefieren corretear libremente por las alcantarillas.

En invierno, los gatos no tienen frío.

En verano, nunca verás a un gato de vacaciones
en el mar surfeando las olas.

A veces, los gatos se quedan con cara de tontos.

Así es como ven a sus humanos.

Nada que hacer.
Los gatos siempre harán lo que les dé la gana.

Es por ello que nunca serían artistas de circo.
Y es así como debe ser.

No existen los gatos con ricitos
(sería demasiado raro).

Sin embargo, existen los gatos sin pelo
(y son demasiado raros).

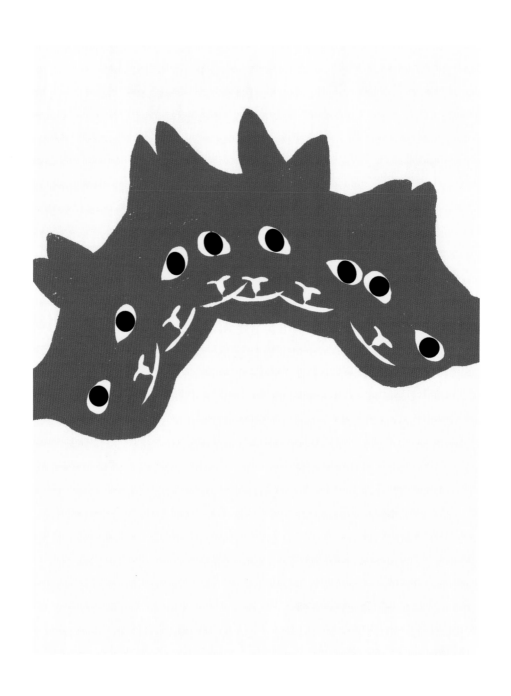

Cuando sacuden la cabeza,
es como si tuvieran un montón de ojos,
un montón de narices, un montón de bocas.

Uno se pregunta qué harán los gatos todo el día
cuando están solos en casa.

Siempre limpios, aunque odien el agua.

¿Aunque odien el agua?

De todos estos alimentos,
solo uno conquistará al gato.

gatos graciosos

zouzou

Suscribirse 544 222

96 953 121 Visitas

Añadir a   Compartir   ••• Más   24 543   2 345

A diario, los gatos divierten
a millones de personas en el mundo.

Imaginan que escalan montañas.

Sueñan con dormir en una tienda de campaña.

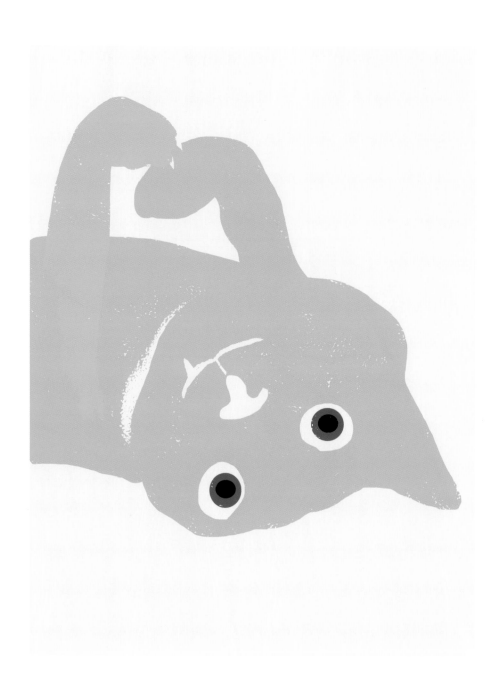

Y así, boca arriba, es cómo los gatos están más lindos.

Estoy aprendiendo
a conocerte.

¡Aquí hay algo raro!

¡Te voy a atrapar, mosca mala!

¡Nada de viajes!

¡Sálvese quien pueda!